PWS PWDIN A CI CORN

HARRIET CASTOR

Addasiad Gwawr Maelor

Gwasg
Gwynedd

Cyhoeddwyd gyntaf dan argraffnod Viking,
Penguin Books Cyf., 1994
Teitl gwreiddiol: *Fat Puss and Slimpup*
ISBN gwreiddiol: 0 670 85174 4

© y testun Cymraeg: Gwawr Maelor, 1995
Argraffiad Cymraeg cyntaf: 1995
Ail-argraffiad Cymraeg: 1998

Cyhoeddwyd dan gynllun comisiynu'r
Cyngor Llyfrau Cymraeg

Dymuna'r cyhoeddwyr gydnabod cymorth
Adrannau'r Cyngor Llyfrau Cymraeg.

ISBN 0 86074 115 X

*Cyhoeddwyd ac Argraffwyd
gan Wasg Gwynedd, Caernarfon*

I GOFIO AM
GWENNO HYWYN

LLYFRAU LLOERIG

Teitlau eraill yn y gyfres

Panel Golygyddol:
Meinir Pierce Jones, Emily Huws, Hywel James

Cynnwys

Pws Pwdin a
Ci Cortyn

Roedd hi'n fore o hydref a'r
awyr yn las a chlir. Aeth Pws
Pwdin am dro wrth ei phwysau a
gwelodd deulu'r Llygod yn dod
i'w chwrdd.

'Helô, 'na! Picio draw i dy weld ti yr oedden ni rŵan,' gwaeddodd Peredur Llwyd.

'Go dda wir,' meddai Pws Pwdin. 'Mynd am drip ydach chi?'

'Wel ia, rhywsut,' atebodd Lleucu.

'Mynd i gasglu ceirios ydan ni!' meddai Nansi wedi cynhyrfu'n lân.

'Ia, mynd i gynnig help pawen i Aneurin Afanc ydan ni er mwyn iddo fo gael gorffen casglu'r holl geirios sydd ar ei goeden o,' meddai Peredur.

'A rhyw hanner amau roedden
ni y basat ti'n hoffi dod hefo ni.'

'Casglu ceirios?' meddai Pws Pwdin.
Feddyliodd hi erioed am geirios yn
tyfu ar goed o'r blaen! 'Pam lai!
Am sbort! Fydd Aneurin yn
falch o'r help tybad?'

'Yn fwy na balch,' atebodd
Lleucu. 'Mae'r ceirios yn barod i'w
bwyta ac os na chân nhw eu casglu
mi fyddan nhw'n disgyn i'r llawr ac
yn dda i ddim i neb. Mi orffennwn
ni'n gynt na'r disgwyl hefo dy help
di, Pws Pwdin.'

'A'u blasu nhw'n gynt na'r
disgwyl wedyn!' meddai Nansi.

'Mi fydd Mam yn gwneud jam ceirios a theisen geirios efo nhw,' meddai Persi.

'Fedra i ddim aros am damaid i'w brofi,' meddai Pws Pwdin gan wlychu'i gweflau. Roedd hi wrth ei bodd hefo jam ceirios ar dost!

Felly i ffwrdd â nhw i chwilio am goeden geirios Aneurin. A phan welson nhw'r goeden roedd hi'n drom o ffrwythau coch fel y gwin yn sgleinio yn haul y bore.

'Mmmm! am flasus!' meddai'r brain bach gan drydar yn braf wrth hedfan draw i helpu.

'Rŵan rŵan, llai o bigo ceirios hefo'ch pigau bach,' meddai Nain y Brain, 'neu fydd 'na ddim ar ôl i de!'

Aeth Aneurin i nôl yr ysgol a'i gosod hi yn erbyn y boncyff.

'Pwy sydd am fentro dringo i gasglu'r ceirios ar frig y goeden?' gofynnodd.

'Mi wna i!' atebodd Pws Pwdin yn ddewr i gyd.

Dechreuodd ddringo, ond fel yr oedd yn mynd yn uwch ac yn uwch roedd ei dewrder yn mynd yn llai ac yn llai a'i phen hi'n troi fel meri-go-rownd.

'Dal arni am funud, Pws Pwdin!'
gwaeddodd Aneurin yn sydyn. 'Yli,
well iti ddod lawr, mae'r ysgol 'ma'n
dechrau simsanu!'

'Iawn, dŵad rŵan!' meddai Pws
Pwdin gan drio peidio swnio ei bod hi
wrth ei bodd.

'Paid â phoeni,' meddai Lleucu gan feddwl ei bod hi braidd yn siomedig. 'Mi fyddi di'n fwy o help yn fan hyn! Mi ro i hwb cam a naid ar dy 'sgwydda di ac wedyn mi fedra i estyn at y canghennau isaf 'na mor hawdd â dim!'

'Wel am syniad da!' meddai Pws Pwdin.

Aeth pawb at eu gwaith.

Hedfanodd y brain bach yn ôl ac ymlaen gan gario sypiau ceirios yn eu pigau a'u gollwng nhw'n deidi yn y basgedi.

Daliodd Aneurin yr ysgol yn llonydd ac aeth Peredur a Lleucu i fyny bob yn ail at y canghennau uchaf.

Dringodd Nansi a Persi ar gefn Pws Pwdin er mwyn cyrraedd y canghennau isaf.

Sôn am waith blinedig!
Cyn bo hir roedd pawb
yn ysu am de!

O'r diwedd roedd y goeden yn
noeth. Cadwodd Aneurin yr
ysgol ac aeth y lleill i drochi'u
traed blinedig yn nŵr yr afon.

''Sgwn i faint o fasgedi rydan ni wedi'u llenwi?' holodd Aneurin ymhen dipyn.

'Mi a' i i'w cyfri nhw rŵan hyn!' meddai Pws Pwdin.

Ac yn ôl â hi i fwrw golwg ar y basgedi. 'Miawmamia!' meddai Pws Pwdin mewn syndod. 'Mae'r basgedi 'ma'n hanner gwag! Lle ar y ddaear mae'r ceirios wedi diflannu?'

Roedd ambell fasged heb yr un geiriosen yn agos ati!

'Wel, dyna ryfedd!' meddyliodd Pws Pwdin. 'Mi daerwn i yn ddu las i ni gasglu mwy na hyn! Maen nhw wedi diflannu o dan ein trwynau!'

Yr eiliad honno clywodd sŵn
anadlu a chwyrnu rhyfedd tu ôl i'r
basgedi. Yna gwelodd ribidires o
olion pawennau bach coch fel ceirios
ar y llawr.

Dilynodd yr olion a beth welodd hi'n swatio'n braf yng nghanol y basgedi ond y ci bach dela 'rioed gyda chlustiau hir llipa, coesau cwta a phâr o bawennau yn pwyso ar ei fol.

Syllodd Pws Pwdin a'i cheg yn agored arno nes stwyriodd y ci. 'Helô — pwy wyt ti?' meddai yn hurt bost.

'Pws Pwdin,' atebodd Pws Pwdin.

'Ci Cortyn dwi,' meddai'r ci bach,
'a dwi'n llawn dop! Fasat ti'n hoffi
cael 'chydig o fy ngheirios i?'

'Be ti'n feddwl dy geirios *di*?'
meddai Pws Pwdin gan ddechrau
amau'i hun am funud. Tybed oedd hi

wedi cael y goeden geirios iawn a'r basgedi iawn wedi'r cwbl?

'Ia, fy ngheirios i,' meddai Ci Cortyn. 'Fi gafodd hyd iddyn nhw. Roedd rhywun wedi'u gadael nhw ar ôl yn fan hyn. Felly doedd neb eisiau nhw! Ew, mi fasa'n biti gwastraffu ceirios mor flasus!'

'Wel mi *roedd* 'na rywun eisiau nhw,' meddai Pws Pwdin gan ostwng ei chynffon tua'r llawr.

'Be, rhywun eisiau nhw?' meddai Ci Cortyn gan agor ei lygaid led y pen. 'Pwy, felly?'

'Fi,' meddai Pws Pwdin. 'Wel ni a dweud y gwir. Newydd orffen eu casglu nhw yr ydan ni!'

'Felly nid gadael nhw ar ôl wnaethoch chi?' gofynnodd Ci Cortyn. Ysgydwodd Pws Pwdin ei phen.

'O brensiach!' meddai Ci Cortyn gan grychu'i dalcen. 'Wel am gi bach difeddwl a dwl ydw i. Wyt ti wedi colli dy limpyn hefo mi?' gofynnodd Ci Cortyn yn boenus.

'Colli fy limpyn?' meddai Pws
Pwdin. 'Nid dy fai di ydi o i gyd
siŵr. Ond roeddan ni bron â
thorri'n boliau eisiau jam a theisen
geirios i de.' Gollyngodd Ci Cortyn
ei glustiau tua'r llawr. 'Yli, coda dy
galon! Paid â phoeni. Tyrd i
gyfarfod y lleill hefo mi!'

'Ti'n siŵr fod hynny'n syniad call?' meddai Ci Cortyn yn bryderus.

'Ydi, siŵr iawn,' meddai Pws Pwdin.

Y funud nesaf roedd Ci Cortyn yn brysur yn ysgwyd ei bawen hefo Aneurin Afanc, y llygod a'r brain i gyd. Roeddan nhw wedi gwirioni gymaint ar ôl cael ffrind newydd sbon nes iddyn nhw anghofio'r cwbl am y ceirios!

'Ceirios neu beidio, mae'n rhaid i ni gael te croeso i Ci Cortyn doed a ddelo!' meddai Aneurin.

Pan ddaeth hi'n amser te roedd hen
ddigon o geirios yng ngwaelod y
basgedi i wneud un potyn o jam a
chlamp o deisen wedi'r cwbl! Cafodd
pawb lyfiad o jam a rhannwyd y
deisen yn ofalus fel bod darn nobl i
bawb.

Wel, pawb bron iawn . . .

'Dim i mi, diolch,' meddai Ci
Cortyn. 'Dwi'n meddwl 'mod i wedi
cael mwy na digon yn barod, yn do?'

Pws Pwdin yn Sâl

Un diwrnod gwyntog yn y gwanwyn
aeth Pws Pwdin a theulu'r Llygod i'r
parc am y pnawn. Roedd Persi a Nansi
newydd gael barcud papur newydd bob
un. Roedden nhw bron â marw eisiau
achub ar y cyfle i'w hedfan yn y gwynt!

Roedd barcud Persi a Nansi'n
cydio'n dda yn y gwynt ac erbyn
diwedd y prynhawn roeddent wedi
ymlâdd ar ôl rhedeg fan hyn a fan
draw.

'Amser mynd adre!' meddai
Peredur ar ôl gweld y ddau wedi
blino'n lân. Fel roeddent am ei throi
hi dechreuodd y cymylau dduo a
duo a chau amdanynt.

'O diar!' meddai Lleucu. 'Mae hi
ar fin . . .'

Sblish! Glaniodd diferyn o law ar
ei thrwyn!

'. . . glawio!'

Mewn chwinciad roedd hi'n bwrw
hen wragedd a ffyn. 'Mi fyddan ni'n
socian at ein crwyn!' gwichiodd Persi.

'Ac mi eith fy marcud newydd i'n wlyb diferyd!' meddai Nansi.

'Peidiwch â phoeni,' meddai Peredur. 'Mae gen i ambarél yn fan hyn.' A phwysodd y botwm i'w hagor hi'n sydyn.

Roedd hi'n andros o ambarél fawr goch.

'Argol fawr!' rhyfeddodd Pws Pwdin. 'Mi fasa hi'n cael bwrw bob dydd petai gen i ambarél swel fel yna!'

Rhuthrodd y llygod i'w chysgod. 'A thithau hefyd, Pws Pwdin,' meddai Peredur.

Gwyrodd Pws Pwdin ei phen fel hyn a
ac fel arall o dan yr ambarél nes bod
ganddi gric yn ei gwddw.

'Tria ddal hi dy hun,' awgrymodd
Lleucu. Ond doedd hynny ddim yn
tycio chwaith.

'O! Mi fydda i'n iawn hebddi hi, wir,' meddai Pws Pwdin yn ddewr. 'Mae gen i gôt o ffwr, siŵr!'

Felly, swatiodd teulu'r llygod o dan yr ambarél ac ymlwybrodd Pws Pwdin ar eu holau.

Erbyn iddynt gyrraedd adref, roedd
Pws Pwdin yn wlyb domen dail.
Roedd hi'n diferu gymaint nes ei bod
hi'n sefyll mewn pwll o ddŵr.

'Ew, ti'n edrych yn ddigri cofia!'
meddai Persi a Nansi dan chwerthin.

'Well imi'i throi hi am adra i
sychu,' meddai Pws Pwdin gan
ysgwyd ei chôt.

Drannoeth aeth Peredur draw at Pws Pwdin. Roedd hi'n sâl a golwg llwydaidd arni.

'Be sy'n bod arnat ti?' gofynnodd Peredur.

'Dydw i ddim yn siŵr,' meddai Pws Pwdin a'i thafod yn dew. 'Mae fy nhrwyn i wedi cau a dwi'n . . . dwi'n . . . DWISHW! AAAATISHW! fel hyn bob munud.'

'Tisian!' meddai Peredur. 'Mae gen ti annwyd, Pws Pwdin bach. Swatia yn y gwely 'na, wir!'

'Gwely?' meddai Pws Pwdin. 'Ond fedra i ddim. Rydw i fod i fynd i nofio hefo Aneurin Afanc heddiw heb sôn am fynd am de at Falmai'r Frân.'

'Chei di ddim mynd i nofio heddiw dros fy nghrogi,' meddai Peredur, 'ac mi ga i air hefo Falmai ynglŷn â'r te 'na hefyd. Mae'n rhaid iti aros yn y gwely 'na nes daw'r lliw yn ôl ar dy fochau di mae gen i ofn.'

Swatiodd Peredur Pws Pwdin yn ei
gwely mor gyfforddus ag y gallai.
Gorweddai yno gan disian i'w hances
boced. 'O! mi fydda i'n unig a diflas
ar fy mhen fy hun bach yn fan hyn,'
meddyliodd.

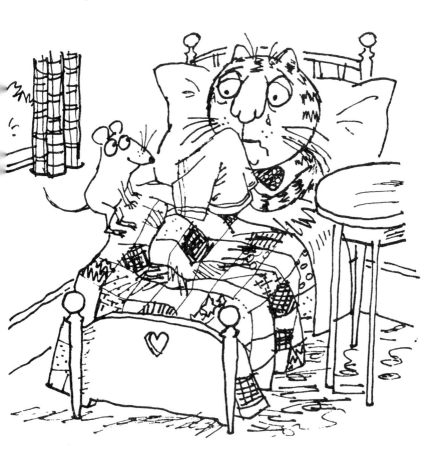

Teimlai'n reit benisel. 'Tyrd draw mor fuan â phosib,' meddai Pws Pwdin.

'Mor fuan â phosib?' meddai Peredur mewn syndod. 'Dydw i ddim yn symud cam o'r tŷ yma! Mi ofala i amdanat ti.'

'Wnei di wir?' meddai Pws Pwdin gan godi'i chalon ar unwaith.

Buan iawn y sylweddolodd Pws
Pwdin nad oedd bod yn sâl yn brofiad
unig o gwbl iddi. Roedd Peredur yn
gofalu amdani ac estyn hancesi glân a
diod gynnes iddi ac yn eu tro daeth ei
ffrindiau i gyd i edrych amdani.

Daeth Persi a Nansi â llun i godi calon Pws Pwdin.

Ac roedd y brain bach yn gwneud iddi chwerthin dros y lle gyda'u triciau hedfan.

Wedyn daeth Aneurin Afanc i
ddifyrru Pws Pwdin drwy adrodd
helyntion am greaduriaid yr afon
wrthi.

A threfnodd Ci Cortyn bob math o
bethau difyr i'w gwneud ar ôl i Pws
Pwdin wella digon.

'Well iti beidio neidio bob munud, Ci
Cortyn,' chwarddodd Peredur, 'rhag ofn
iti flino gormod ar Pws Pwdin neu fydd
yna ddim gwella arni hi.'

O'r diwedd daeth y diwrnod mawr
pan oedd Pws Pwdin wedi gwella digon
i fentro allan. Roedd y tisian a'r
snwffian wedi gorffen a Peredur yn fwy
na bodlon i'w gadael hi i fynd am dro.

Roedd Pws Pwdin yn falch o gael ei thraed yn rhydd unwaith eto ac yn edrych ymlaen at weld ei ffrindiau. Diolchodd o waelod ei chalon i Peredur am edrych ar ei hôl hi mor dda ac yna i ffwrdd â hi ar ei theithiau.

'Rydw i am fynd i weld Aneurin gyntaf,' meddai. 'Efallai y basa fo'n hoffi mynd i nofio.'

Ond nid oedd Aneurin ar gyfyl yr afon.

'Dyna biti,' meddai Pws Pwdin yn siomedig. 'Mi alwa i draw i weld Ci Cortyn 'ta.'

Ond nid oedd Ci Cortyn yno chwaith.

'O diar!' meddai Pws Pwdin. 'Rydw i'n siŵr y bydd Persi a Nansi gartref.'

Ond na, doedd dim golwg ohonyn nhw yn unlle. Ac ar ben hyn i gyd roedd nyth y brain bach yn wag yn y goedwig.

'Ble ar y ddaear mae pawb wedi mynd?' pendronodd Pws Pwdin. 'Maen nhw i gyd wedi mynd am dro a 'ngadael i fan hyn.'

Ymlwybrodd yn drist gan hanner dymuno bod yn sâl unwaith eto. O leiaf roedd hi'n gweld ei ffrindiau bryd hynny. Crwydrodd i'r parc ac yna'n sydyn neidiodd o'i chroen pan welodd ei ffrindiau i gyd yn disgwyl amdani.

'Croeso'n ôl, Pws Pwdin!' meddai
Aneurin Afanc.

'O! mae hi'n braf dy weld ti o
gwmpas y lle,' meddai Falmai'r Frân.

Heidiodd pawb o'i chwmpas.

'Yli, dyma iti anrheg gan bawb am wella mor sydyn,' meddai Lleucu gan roi parsel mawr o'i blaen.

'Agor o! Agor o!' crawciodd y brain bach fel côr. Rhwygodd Pws Pwdin y papur a gwelodd glamp o ambarél newydd sbon danlli. Roedd hi'n goch, goch fel ambarél Peredur ond yn fwy o lawer!

'Bendigedig!' meddai Pws Pwdin.
'Diolch yn fawr iawn.'

'Meddwl y basat ti angen un,'
gwenodd Peredur, 'rhag ofn iti fynd
yn sâl bob tro mae hi'n bwrw!'

Pen blwydd Cyntaf
Pws Pwdin

Un bore, aeth Pws Pwdin i weld
teulu'r llygod. Pan gyrhaeddodd roedd
Ci Cortyn yno hefyd.

'Mae gen i rywbeth i'w gyhoeddi,'
meddai Ci Cortyn yn bwysig i gyd.

'Beth, felly?' gofynnodd Peredur
Llwyd.

'Rydw i'n cael fy mhen blwydd
heddiw,' meddai Ci Cortyn.

'Wyt ti, wir? Am braf,' meddai Pws
Pwdin.

'Wel, am wn i beth bynnag. Dwi'n teimlo'n fwy heddiw nag oeddwn i ddoe — un pen blwydd yn hŷn na ddoe — mae'n rhaid ei bod hi'n ben blwydd arna i!'

'O, mi faswn i'n rhoi unrhyw beth i gael gwybod pryd mae fy mhen blwydd i!' meddai Pws Pwdin.

'Pam na chei di ben blwydd hefo mi heddiw?' awgrymodd Ci Cortyn. 'Neu well fyth, beth am rannu pen blwydd?'

'Wyt ti o ddifri?' meddai Pws Pwdin. 'Ti'n siŵr dy fod ti eisiau rhannu diwrnod dy ben blwydd hefo mi?'

'Pam lai,' meddai Ci Cortyn.

'Wel, os ydach chi'ch dau am rannu
pen blwydd heddiw,' meddai Peredur,
'does dim amdani ond rhannu parti
pen blwydd hefyd!'

'Ardderchog!' meddai Ci Cortyn gan
neidio i fyny ac i lawr fel ci o'i go.

'Ond mae yna un cwestiwn go bwysig,' meddai Peredur. 'Faint ydy'ch oed chi?'

Arhosodd Ci Cortyn yn llonydd yn y fan a'r lle. 'Wyt ti'n gwybod faint ydy dy oed di, Pws Pwdin?' gofynnodd.

Crafodd Pws Pwdin ei phen mewn penbleth. 'Does gen i ddim syniad,' atebodd.

'O diar, na finnau chwaith!' meddai Ci Cortyn. 'Ydy hyn yn golygu na chawn ni ben blwydd o gwbl, felly?'

'Siawns y medrwn ni ddarganfod faint ydy'ch oed chi,' meddai Lleucu. 'Ydach chi wedi dathlu pen blwydd rywbryd o'r blaen?'

'Dydw i ddim yn siŵr,' meddai Pws Pwdin. 'Be sy'n digwydd ar ddiwrnod pen blwydd?'

'Wel, rwyt ti'n cael parti a theisen ben blwydd,' meddai Nansi.

'Ac mi fydd pawb yn y parti'n canu "Pen blwydd hapus, Pws Pwdin, Pen blwydd hapus i ti",' meddai Persi dan ganu.

'Dydw i 'rioed wedi blasu teisen ben blwydd a does 'na neb wedi canu "Pen blwydd hapus, Pws Pwdin" i mi!' meddai Pws Pwdin.

'Nac i mi chwaith,' meddai Ci Cortyn.

'Wel, dyna daro'r hoelen ar ei phen. Mae'n rhaid mai heddiw ydy'ch diwrnod pen blwydd cyntaf chi,' meddai Lleucu.

'Dyna'r broblem yna drosodd,' meddai Peredur. 'Mae'n rhaid i ni baratoi at y parti rŵan.'

Aeth Peredur i chwilio am Aneurin Afanc a Falmai'r Frân i'w gwahodd i'r parti. Aeth Persi a Nansi i wneud y deisen a chynigiodd Ci Cortyn roi tro iawn i'r gymysgedd. Sôn am lanast wrth i glustiau Ci Cortyn ddisgyn i'r bowlen!

Ond ar ôl ei gorffen roedd y deisen
yn edrych yn ddigon o sioe!

Yn y cyfamser, roedd Pws Pwdin yn
helpu Lleucu i wneud cadwynau
papur lliwgar, a Nain y Brain a
Falmai yn eu cario nhw'n ofalus a'u
bachu nhw'n drefnus ar frigau'r coed.

Roedd Aneurin Afanc a Peredur yn
cael hwyl garw ar wneud anferth o
faner ac arni, PEN BLWYDD
CYNTAF HAPUS I PWS PWDIN A
CI CORTYN! Gofalodd Nain y Brain
a Falmai fod pawb yn ei gweld hi ar
frig y coed.

Pan ddechreuodd y parti rhannodd
Betsan a Blodwen a Bryn Brân het de
parti i bawb a chychwyn y gêmau.

Gêm neb-i-symud-blewyn oedd y
gêm gyntaf. Ond doedd Ci Cortyn yn
da i ddim am 'i fod o'n gwingo ac yn
methu'n glir â chadw'n llonydd.

Gêm y-dall-yn-dal oedd nesaf a chlymwyd sgarff yn sownd am lygaid Aneurin Afanc. Ond ni chafodd Ci Cortyn fawr o hwyl ar y gêm yma 'chwaith. Gwichiai gymaint nes yr oedd Aneurin yn gwybod i'r dim ble roedd o.

Yna aeth pawb i chwarae cuddio.
'Ga i chwilio am bawb?' meddai Pws
Pwdin. 'Mae pawb yn cael hyd imi yn
syth bin.'

'Siŵr iawn, gei di chwilio ar
ddiwrnod dy ben blwydd!' meddai
Falmai'r Frân.

Tra oedd Pws Pwdin yn cyfri a
chau ei llygaid aeth pawb i guddio.
Yna dechreuodd chwilio amdanynt.
Nid oedd golwg o neb yn unman.

Neb o dan y sêt bren.

A neb yn y fasged sbwriel.

Cedwch at
y Llwybr

Ond yna clywodd sŵn piffian
chwerthin yn dod o'r bwced ddyfrio.
A phwy oedd yno'n cuddio'n un
cowdal ond Ci Cortyn, Nansi a Persi
a'r brain bach i gyd! Sôn am le!

Pan gafodd pawb eu traed yn rhydd
dechreuodd pawb chwilio am guddfan
y lleill. Roedd Aneurin Afanc wedi
cuddio o dan dwmpath o frigau gan
gogio mai llwyn oedd o.

Gwelsant Lleucu yn pipian o dan
raw wedi disgyn a Peredur yn
stryffaglio ym mhwll nofio'r adar.
Roedd Falmai a Nain y Brain yn
hongian ben uchaf isaf o'r faner ben
blwydd yn smalio bod yn 'stlumod.

'O, diolch i'r drefn eich bod chi wedi cael hyd imi. Dydw i ddim hanner cystal am hongian ag yr oeddwn i erstalwm,' meddai Nain y Brain.

Pan orffennodd y gêmau roedd hi'n
amser i bawb fynd adref.

'Arhoswch funud!' meddai Nansi'n
sydyn. 'Rydan ni wedi anghofio
rhywbeth.'

Y funud wedyn cariodd Persi a
Nansi y deisen ben blwydd yn ofalus.
Roedd un gannwyll yn ei chanol.

'Gan fod y ddau ohonoch chi'n rhannu pen blwydd heddiw mi gewch chi chwythu'r gannwyll hefo'ch gilydd,' meddai Persi.

Chwythodd Pws Pwdin a Ci Cortyn un anadl fawr nes diffodd y gannwyll yn syth a churodd pawb eu dwylo.

'Pen blwydd hapus, Pws Pwdin a Ci Cortyn!' gwaeddodd pawb.

'O! dwi wedi cael miloedd o hwyl ar fy mhen blwydd!' meddai Pws Pwdin yn wên o glust i glust.

'A finnau hefyd,' meddai Ci Cortyn a llond ei geg o deisen. 'Mi fydd yn rhaid i ni gael un bob blwyddyn rŵan!'